Alles wie verhext

Hortense kann ihr dickes

der  nicht finden.

Sie hat schon im  und in

sämtlichen  nachgesehen.

Auch im  hat sie gesucht.

Ohne ihr dickes  geht der

kleinen 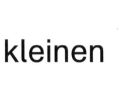  aber einiges schief.

In der  läuft ein  .

Die schmutzigen  drehen

sich im  hin und her. Und

im  schwimmen  .

Ganz zuletzt bekommt das

plötzlich  und läuft davon.

„Auch gut", sagt die kleine

vergnügt. „Schaue ich mir eben

den  und die an."

Doch dann schwebt eine dunkle,

dicke  heran. Bald klatschen

die ersten  auf den .

Nun muss Hortense aber endlich

richtig hexen. Auch ohne .

„Ene mene,  , wer falsch

hext, der hat nicht alle. Ene mene,

alter 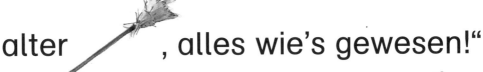, alles wie's gewesen!"

Und tatsächlich kommt das

zurück. Leider hat es unterwegs

einige  verloren.

Aber das stört Hortense wenig.

Wo es hereinregnet, stellt sie

 und  auf.

Die kleine  holt einen .

Sie macht es sich auf dem

gemütlich. Und da findet sie

endlich ihr der .

Es liegt unter dem .

Hexenfest im Schloss

Die kleine  betrachtet sich

im  . Sie trägt ihren

ältesten  . Ihr  ist

zerfetzt. Aus den kaputten

schauen die  heraus. Sie hat

sich die  grün gefärbt und

viele  hineingeflochten.

Getrocknete baumeln

an ihren . Die dicke

auf der krummen  hat sie rosa

angemalt. Die  sind lila.

„Weit und breit gibt es keine ,

die so hübschhässlich ist wie ich",

sagt Hortense. Dann reitet sie auf

ihrem  zum alten .

Die hässlichste gewinnt heute

einen goldenen .

♥lich willkommen!

Bevor die kleine  durch

die  hineingeht, zerzaust sie

diese  will sie nicht

sein. Und was soll sie mit

einem goldenen  ?

Krachend schlägt sie die

hinter sich zu und verlässt schnell

das  . Hortense will lieber

die hübschhässliche  bleiben,

die sie ist.

Die Wörter zu den Bildern:

Buch

Film

Hexen

Hemden

Kühlschrank

Fernseher

Töpfe

Aquarium

Klavier

Hühner

Waschmaschine

Dach

Füße

 Besen

 Mond

 Dachziegel

 Sterne

 Schüsseln

 Wolke

 Schirm

 Tropfen

 Sofa

 Tisch

 Kissen

 Mausefalle

 Spiegel

Rock

 Warze

 Schuhe

 Nase

 Zehen

 Fingernägel

 Haare

 Schloss

 Fischgräten

 Staubsauger

 Kraken

 Tür

 Ohren

 Knochen

 Schlangen

 Gürtel

 Teller

Dieses Heft ist auf chlorfrei gebleichtem Papier gedruckt.

Die Deutsche Bibliothek – CIP-Einheitsaufnahme

Hortense hext verkehrt /
Werner Färber/Maria Wissmann.
– 1. Aufl. – Bindlach : Loewe, 1998
(Billebu)
ISBN 3-7855-3211-3

ISBN 3-7855-3211-3 – 1. Auflage 1998
© 1998 Loewe Verlag GmbH, Bindlach
Geschichten entnommen aus: *Lirum Larum*
Lesemaus – Geschichten von der Hexe Hortense
Umschlagillustration: Maria Wissmann
Reihengestaltung: Angelika Stubner/
Pro Design, Klaus Kögler
Gesamtherstellung: Sebald Sachsendruck, Plauen
Printed in Germany